CW00402717

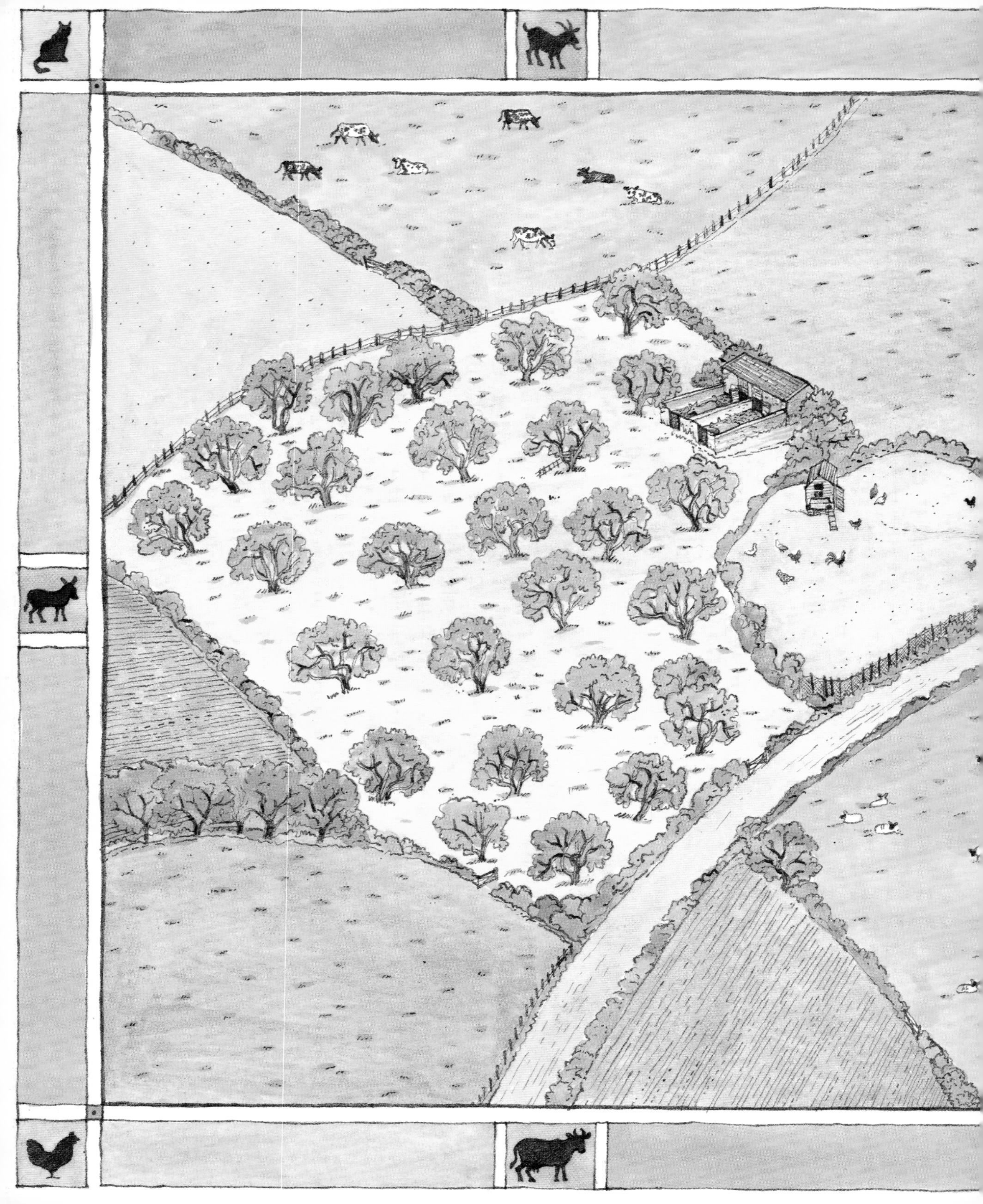

FFERM
TŶ-GWYN

Cyhoeddwyd gyntaf yn Saesneg gan Frances Lincoln Cyf
dan y teitl *Hepzibah's Woolly Fleece*.
Cyhoeddwyd yn Gymraeg gan Wasg y Dref Wen,
28 Ffordd yr Eglwys, Yr Eglwys Newydd, Caerdydd.
Argraffwyd yn Hong Kong.

FFERM TŶ-GWYN

GWLÂN JEMEIMA

Jill Dow

DREF WEN

Un bore gwyntog o hydref, aeth Mr Gethin â'r defaid i bori yn y cae erfin.

Ond doedd Jemeima ddim yn cael blas ar yr erfin. Gwelodd hi borfa las yn tyfu ger y gwrych, ac i ffwrdd â hi dros y cae i'w bwyta.

Galwodd ei mam arni i ddod yn ôl. Ond wrandawodd Jemeima ddim. Roedd hi'n wyth mis oed ac yn ddigon hen i ofalu amdani'i hun. O leiaf, dyna a gredai.

Ond wrth i Jemeima ddechrau pori, hwsh! — dyma chwa o wynt yn ei thaflu hi i'r gwrych. Cydiodd miaren yn ei gwlân hir, ac er tynnu a thynnu, allai Jemeima ddim dod yn rhydd.

Brefodd hi am help. "Baaa! Baaaa! Baaaaa!" Ond roedd y gwynt mor gryf, doedd y defaid eraill ddim yn ei chlywed.

Gwelodd dryw bach helynt Jemeima, a chanodd gân fach iddi i'w chysuro.

Yna daeth llygoden a bwyta rhai o'r mwyar duon. Doedd drain y mieri ddim yn cydio yn ei blew byr hi.

Cofiai Jemeima pan oedd hi'n oen bach. Pryd hynny roedd ei gwlân yn gwta, a doedd mieri byth yn cydio ynddo. Gallai chwarae lle bynnag a fynnai.

Trwy'r dydd bu'n aros am i rywun ddod i'w hachub, tra gweai pryfed cop eu gwe o'i chwmpas.

Gyda'r hwyr daeth Mr Gethin ac Owen i'r cae. Daethant o hyd i Jemeima a datrys ei gwlân o'r drain.

"Y ddafad ddwl â ti, Jemeima!" meddai Owen. "Wyddost ti ddim bod rhaid cadw draw o fieri?"

Fe wyddai Jemeima hynny nawr.

Yna daeth y gaeaf, a bu raid i'r rhan fwyaf o anifeiliaid Tŷ-gwyn aros dan do rhag y tywydd garw.

Cysgodai'r gwartheg yn y beudy clyd,

a gorweddai'r moch yn eu twlc, yng nghanol y gwellt.

Ond arhosai'r defaid allan ar hyd y gaeaf, ac erbyn hyn roedd Jemeima'n ddiolchgar iawn bod ganddi gnu mor hir a thrwchus.

Roedd yn ei chadw'n gynnes ddydd a nos er gwaetha'r rhew a'r eira.

Yn y gwanwyn cafodd Jemeima ei hoen cyntaf; ac roedd ei gwlân trwchus yn cadw'r un bach yn gynnes hefyd. Roedd Jemeima'n falch iawn o'i chnu, a doedd hi byth yn mynd yn agos at y mieri.

Yna daeth yr haf. Roedd yr ŵyn bach wrth eu bodd yn chwarae yn yr haul. Ond gorwedd yn y cysgod a wnâi Jemeima a'r mamogiaid eraill, yn boeth ac yn ddiflas yn eu cotiau mawr.

Erbyn hyn roedd cnu Jemeima yn frwnt ac yn flêr, a doedd hi ddim yn falch ohono o gwbl.

Un bore bach daeth Dai a Gwen, y ddau gi defaid, i'r cae, gan ddihuno'r defaid a'u gyrru

ar garlam trwy'r berllan at y gorlan. Roedd Jemeima'n grac iawn bod rhaid iddi godi mor gynnar.

Un ar ôl y llall tyrrodd y defaid i'r gorlan, a chaeodd Owen y glwyd ar eu hôl.

"Ti gynta, Jemeima!" gwaeddodd Mr Gethin, a'i llusgo hi o'r gorlan yr ochr bellaf.

Wyddai Jemeima druan ddim beth oedd yn mynd i ddigwydd.

Trodd Mr Gethin hi ar ei chefn, a chychwyn y gwellaif trydan.

"Cadw'n llonydd, Jemeima, wnei di!" meddai.

Yna dechreuodd dorri'r gwlân.

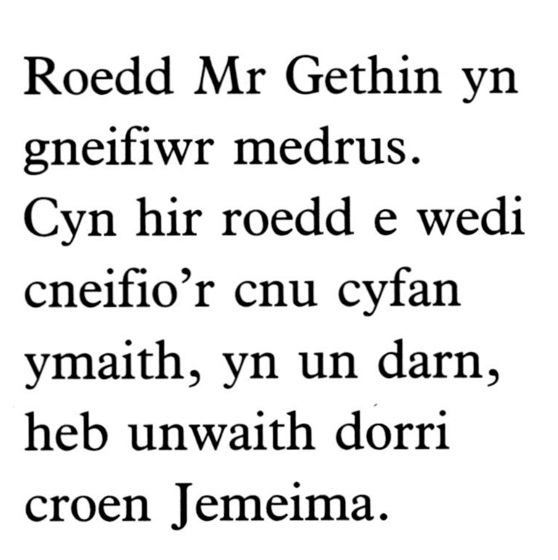

Roedd Mr Gethin yn gneifiwr medrus. Cyn hir roedd e wedi cneifio'r cnu cyfan ymaith, yn un darn, heb unwaith dorri croen Jemeima.

Rhedodd Jemeima i ffwrdd — yn fach, yn lân, yn wyn, ac yn GYSURUS o'r diwedd heb yr hen gnu poeth.

Bendigedig! Pranciodd Jemeima o gwmpas y cae fel oen bach.

"Wedi'r cyfan, fe alla i dyfu cnu newydd maes o law," meddyliodd.

Ac erbyn yr hydref,
dyna a wnaeth.

— DIWEDD —

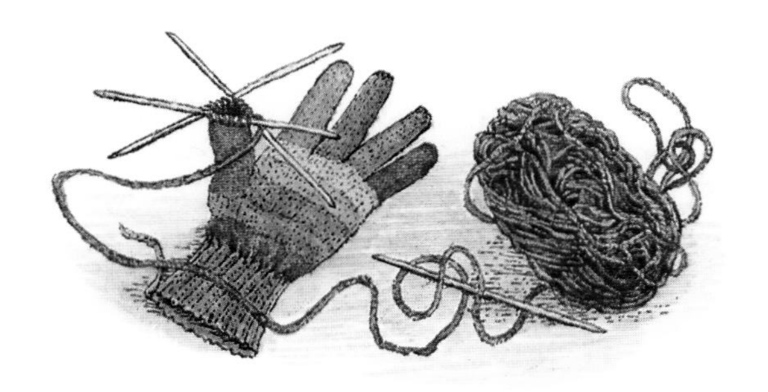